Monsieur
GENTIL

Collection MONSIEUR

Mr. Men   Little Miss

Monsieur
GENTIL

Roger Hargreaves

Écrit et illustré par Adam Hargreaves

hachette
JEUNESSE

Monsieur Gentil est très gentil.

Il fait toujours son lit.
Il se brosse toujours les dents.
Il essuie toujours ses pieds.
Il ne claque jamais la porte.
Il n'oublie jamais les anniversaires.
Et il ne ment jamais.

Monsieur Gentil est très, très gentil.

Or, monsieur Gentil habite Méchanville.

Une ville où personne n'est comme monsieur Gentil.

Une ville où les gens claquent les portes.

Et ils te les claquent même au nez.

À Méchanville, les flaques d'eau sont plus profondes qu'elles n'en ont l'air.

À Méchanville, les chiens mordent plus
qu'ils n'aboient.

À Méchanville, même les arbres sont méchants.

Un jour, il pleuvait et le vent soufflait.

Enfin, comme d'habitude.

Il faisait toujours mauvais à Méchanville.

Monsieur Gentil marchait sans gêner personne lorsque le chapeau du monsieur qui était devant lui s'envola.

Monsieur Gentil bondit pour le lui rattraper.

Le monsieur se retourna et lui lança un regard furieux.

— Qu'est-ce que vous faites ? hurla-t-il. Rendez-moi mon chapeau !

Pauvre monsieur Gentil !

Ce genre de choses lui arrivait tout le temps.

Tu vois, rendre service à Méchanville était impossible,
inimaginable, du jamais vu.

Si monsieur Gentil proposait à une dame de l'aider
à porter ses courses, il était accusé de vol.

S'il tenait gentiment la porte à quelqu'un,
celui-ci lui donnait un bon coup dans le tibia.

Ce n'était pas étonnant que monsieur Gentil
ne soit pas très heureux.

En fait, il était très malheureux.

Il décida alors de partir se promener pour réfléchir.

Il marcha très longtemps.

Il était tellement perdu dans ses pensées qu'il ne remarqua pas qu'il avait parcouru un très long chemin.

Et il était tellement perdu dans ses pensées
qu'il se cogna maladroitement contre un monsieur.

— Oh ! Oh ! je sssssssssuis dé-désolé, bégaya
monsieur Gentil avec nervosité.

— Il n'y a pas de mal, dit le monsieur, avant
de continuer son chemin.

— Pas de mal, répéta monsieur Gentil. Pas de mal ?

De toute sa vie, monsieur Gentil n'avait jamais
entendu dire : « Il n'y a pas de mal. »

Puis, monsieur Gentil remarqua que le soleil brillait.

C'était étrange, car le soleil ne brillait jamais
à Méchanville.

Un peu plus loin, monsieur Gentil trouva une poubelle renversée.

Sans réfléchir, il ramassa toutes les ordures.

— Merci, dit une dame.

Monsieur Gentil la fixa du regard.

De toute sa vie, monsieur Gentil n'avait jamais entendu dire : « Merci. »

— Où suis-je ? demanda-t-il.

— Vous êtes à Gentiville, répondit la dame.

— Merci, dit monsieur Gentil.

— Il n'y a pas de quoi, dit la dame.

Monsieur Gentil était aux anges.

Je suis sûr que tu as deviné que monsieur Gentil habite maintenant à Gentiville.

Et monsieur Gentil est heureux.

Très, très heureux, rendant service toute la journée.

La seule chose qui n'inspire pas encore confiance à monsieur Gentil, ce sont les flaques d'eau.

Une flaque de Méchanville, tu ne l'oublies jamais !

ISBN : 978-2-01-224814-4
Loi n° 49-956 du 16 juillet 1949 sur les publications destinées à la jeunesse.
Imprimé et relié en France par I.M.E.